科学大发现

复杂奇妙的人体

[美] 保罗·哈里森◎著 许若青◎译

中国少年儿童新闻出版总社
中国少年儿童出版社
北 京

鲁克和他的朋友们

鲁克

鲁克是一位天才少年，他发明了一款名叫“虫洞”的手机 APP（应用程序）。只要用手机自拍一下，他和朋友们就能一起跨越时空，开启科学之旅。

何敏

何敏天资聪颖，甚至可以说是机智过人。她喜欢扮酷，总装作一副心不在焉的样子，其实她对科学有着火一样的热情。

蒋方

蒋方很幽默，总喜欢胡闹。他的脑子转得很快，随口就能讲出笑话来，这或许是他脑子里装了很多知识的缘故吧。

宁宁

宁宁是这群伙伴里年龄最小的一个，大家都很照顾她。她热爱运动，无论是跑跑跳跳还是打球，她都很擅长。

比特

比特是鲁克的小狗，它很喜欢跟着大家一起探险。比特天不怕、地不怕，唯独害怕噪声。

目 录

（一）星　尘

一个周末的下午，鲁克、何敏和宁宁在鲁克家的地下室玩。鲁克和何敏整理着漫画书，小狗比特懒洋洋地趴在他们身边。

宁宁兴高采烈地炫耀着自己的体操动作，她轻巧地转过身去，做了个手倒立，然后双脚优雅地落回地面，站立起身。

“看！很容易吧！这个谁都能学会。”宁宁说。

何敏抬头看了看她，笑着说：“这可不一定！我连侧手翻都不会呢。”

宁宁说：“什么？别开玩笑了！你不会侧手翻？来来来，我教你，可容易了。”

何敏赶忙摆摆手，“不了不了，谢谢。我从出生到现在一直就不会做侧手翻。不过，我觉得这好像也没什么关系。”

“你不会是害怕了吧。”宁宁偷笑着说。

正在这时，地下室的门被推开了，蒋方进来了。他的脚步很沉重，与平时急匆匆的样子不大一样。他走到椅子前面，一屁股坐了下去。鲁克、何敏、宁宁神情疑惑地互相对视了几眼。

鲁克问道：“蒋方，你怎么了？”

蒋方一边吸着鼻涕，一边说：“我今天真嚷送（难受）……我好像港冒（感冒）了……控（困）得很。”

宁宁问：“他在说什么？”

“我说我……阿……阿……阿嚏！”蒋方打了个大大的

喷嚏，然后用袖子抹了下脸说，“嗯……感觉好多了。”

“哎呀！好恶心！”何敏嫌弃地说。

“这有什么好恶心的？这也不能怪我呀……我控制不住啊。”蒋方抱怨道。

“你刚刚把病菌散播得到处都是！更糟糕的是，你居然还用袖子擦鼻涕！”何敏抱怨道。

“阿嚏！”蒋方又打了个喷嚏。

何敏生气了，喊道：“我受不了啦！宁宁，咱们俩赶快到外面去吧，你来教我做侧手翻。我宁愿受伤也不想被他的病菌传染！”

“真的吗？”宁宁问。

“快走吧！我们要是还继续留在这儿的话，早晚也会感冒的。走，我们到外面去呼吸新鲜空气。”

两个女孩子匆匆跑上了楼，小狗比特也赶忙跟着她们跑了出去，兴奋得汪汪直叫。

鲁克开玩笑地说：“看来连比特也受不了你的喷嚏了。”

“我才不担心感冒呢！其实，我现在最发愁的是科学课作业，我得想出个好点子……不然就只能再做一个小苏打火山了。”

“你去年做的就是小苏打火山吧？那可不行！咱们必须想一个更新奇、更带劲儿的！”鲁克激动地说。

“比……阿……阿……阿嚏……比如说？”

“哈哈！你的这个喷嚏启发了我。我想咱们可以做一个关于你的作业。”鲁克说。

“我……啥意思？展示我有多么优秀？”蒋方一边吸鼻涕，一边开玩笑。

“差不多吧。你确实很了不起啊。”鲁克一本正经地说。

蒋方说：“嗯……这个嘛……我一直都知道。我很开心你们终于意识到了。”

鲁克连忙打断蒋方，“不不不，我可不是这个意思。我是说我们大家都很了不起。我们的身体——人类的身体——既复杂又奇妙。我们可以做一个关于人体的科学课作业。”

“我打断一下，‘复杂’的我可招架不住……我还是喜欢小苏打火山这种简单一点儿的作业。”

鲁克表示反对，“要是再做一次小苏打火山的话，恐怕老师不会给咱们打高分。我觉得，人体虽然复杂，但我们不必把作业搞得那么复杂呀。”

“真的吗？”蒋方半信半疑地问。

“真的！你还记得我发明的那个‘虫洞’应用程序吧？我们只要来张自拍，就可以进入到任何场景、任何地方、任何时间，无论是过去还是现代。”说着，鲁克便举起手机，准备和蒋方自拍。

“我记得。”蒋方说。

鲁克说：“接下来，准备好见证奇迹吧！”

鲁克在手机屏幕上按下“虫洞”应用程序的拍摄按钮。

一道闪光！

时空转换——

一道闪光在他们眼前划过，他们身边的景象从鲁克家的地下室变成了太空。他们漂浮在一团宇宙尘埃中，这团尘埃的范围很大，遍布他们目力所及之处。透过尘埃，远处有几个地方模模糊糊地闪着光。

“咱们这是在哪儿呀？”蒋方问。

鲁克不慌不忙地说道：“咱们现在来到了猎户座星云当中。这团星云从我家院子里就能看到，只不过那样看太小、太模糊，就像一颗小星星一样。”

“猎户座什么？”蒋方追问道。

鲁克放慢了语速，“星云。就是由稀薄的气体或尘埃构成的一种天体，它广泛分布在宇宙中。在星云中会孕育和诞生新的恒星呢。”

顺着鲁克手指的方向望去，远方有一束模糊的光晕，那是一颗新星。两人凝视着那片光亮，不由得欢呼起来：“太棒了！太棒了！”

兴奋过后，蒋方似乎有些疑惑，“不过……这个和我们的科学课作业有什么关系呢？你不是说我们要做一个关于人身体的作业吗……并不是要做关于太空的啊。”

鲁克说：“没错，我是想启发一下你的思路。你知道吗？咱们人类的身体也是由这些宇宙尘埃中的物质和元素构成的。”

蒋方觉得难以置信，“什么？人是由宇宙尘埃组成的？”

“从某种角度上来说，是的。”鲁克解释说，“和所有物质一样，人也是由碳、氢、氧和氮等元素构成的，我们身体中几乎所有元素最初都来自于恒星的内核。”

蒋方笑着说：“这么说来，那我就是名副其实的明星啦。”

“可真有你的。”鲁克拍了一下蒋方的肩膀，退出了“虫洞”应用程序，两人又回到了地下室。

“说真的，刚才的景象真让我特别兴奋！何敏和宁宁没看到真是太可惜了……不过，这也怪她们自己，谁让她们连小小的喷嚏都害怕呢。”蒋方说。

鲁克说：“她们说的也对，你打喷嚏就是因为……”

鲁克的话还没说完，地下室的门就被猛的一下推开了，何敏冲了进来，焦急地喊道：“快过来！宁宁出事儿了。她受伤了！”

一 宁宁骨折了

候诊室里安静极了，鲁克、何敏和蒋方一声不吭地在候诊室等消息，大家都希望宁宁能平安无事。

“嗯，再跟我说一遍……”候诊室里的大人们齐刷刷地看向鲁克，鲁克清了清嗓子，把声音压低了一些，“到底怎么回事儿，何敏？”

“我们想躲开蒋方和他的病菌，就到前院儿去玩儿。”何敏叹了口气，不开心地瞅了瞅蒋方。蒋方微微举起双手，表示无奈和不满：“算了，我没怪你，蒋方……宁宁给我演示侧手翻动作，然后我试着做了两个。她看我还没掌握好动作要领，又做了两个侧手翻给我看。可是，她做最后一个的时候，被比特给绊倒了，落地时手臂直接撑到了地上。”

“还好比特没事儿。”蒋方说。

何敏接着说：“起初，比特以为宁宁在和它玩游戏呢。直到宁宁哭起来，它才知道自己闯祸了。它看起来真的很伤心，就好像真的感到愧疚了一样。”

“可怜的比特。”鲁克说。

“我们先别担心比特了。不知道可怜的宁宁现在怎么样了。”何敏说道。正在这时，小伙伴们回头看到宁宁在妈妈的陪伴下来到候诊室。

“宁宁，好些了吗？”鲁克急切地问。

“好多了，手腕没有刚才那么疼了。待会儿得再去做个X射线检查，趁现在和你们待一会儿。”

宁宁妈妈说："亲爱的，我去走廊那边接杯咖啡，在这儿等我，别去别处，好吗？"

"好的，妈妈。我又不是小孩了……"宁宁咕哝着。宁宁的妈妈微笑着亲吻了一下宁宁的额头，转身走开了。

"为什么爸妈总是弄得人家难为情？"宁宁小声说。

"我倒觉得这很甜蜜呢。"蒋方故意逗她。

宁宁朝蒋方挥了挥胳膊，"我可还有一只胳膊能动呢，还打得动你。"

"做X射线检查，你紧张吗？"何敏搀着宁宁，关心地问。

"有点儿……会不会疼啊？"宁宁问。

鲁克一副很有经验的样子，"一点儿都不疼。"他环视候诊室，趁护士把坐在他旁边的两个人叫走的工夫，小声对大家说，"我想到一个主意，不过咱们得快点儿……"他从口袋里掏出手机。

"咱们去见谁？"宁宁问。

鲁克神秘地说："去找威廉姆·伦琴先生，他发现了X射线，我保证他能给咱们讲讲X射线的故事。"伙伴们小心地凑在一起自拍，生怕碰到宁宁受伤的手腕。

鲁克在手机屏幕上按下"虫洞"应用程序的拍摄按钮。

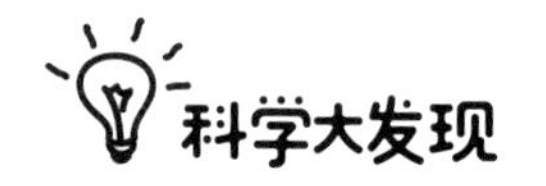

一道闪光！

时空转换——

一道闪光在他们眼前划过，他们身边的景象从候诊室变成了一间又小又黑的实验室。

“现在是 1895 年，这里是伦琴的实验室，那个是他的 X 射线机。”鲁克指着的那个机器上有一段玻璃管，看上去有点儿像荧光灯管，被架在一个类似画框的框子上。

这时门开了。一位先生走了进来，他留着胡子，手里抱着的东西被布盖着。他一边走，一边和身后的一位女士专心地讨论着什么，似乎完全没有注意到这几个孩子。

鲁克解释道：“这位就是伦琴先生，跟着他的是他的妻子安娜女士。他们是德国人。”

“亲爱的，我要给你看个东西，你一定会感到非常惊讶。”伦琴说着，便摘下那块蒙布。这是一张手部照片，在手的轮廓以内，手部骨骼清晰可见。

鲁克轻轻地说：“这张安娜手部的 X 射线片是有史以来第一张人体 X 射线片。怎么样，厉害吧？”

安娜盯着照片看了看，脸上的表情越来越凝重，她紧张地喘起粗气，惊慌失措地说：“我仿佛看到了死去的自己！”

“不，这并不意味着死亡！”伦琴安慰道，“相反，它还可以治病救人呢！你知道它怎么救人吗？”

“不需要开刀，就可以让医生看到病人身体内部的情况。”鲁克抢答道。伦琴听到鲁克的回答，马上转过身来，似乎吓了一跳。

“不好意思，打扰到您了。”鲁克说。

伦琴笑着说：“没关系，我的朋友，你说的对。我们可以借助 X 射线直接看到病人身体内部，这会大大减少身体检查给病人带来的身心痛苦和感染风险。”

“您可以告诉我们，它是如何工作的吗？”鲁克追问。

伦琴指着那段玻璃管说：“这个真空放电管能够产生一种我们肉眼看不到的X射线，下面的这个框子里放的是相纸。我的妻子只要把手放到框子上方，放电管里射出的X射线就能透过她的肌肉，在相纸上留下她的骨骼影像。你们看，连手上的那枚戒指都能看到！”

“伦琴的这个伟大发现很快得到了应用。从1896年开始，许多医院都开设专门的科室，纷纷利用X射线给病人做检查。”鲁克小声和伙伴们说。

“说到检查，宁宁的X射线检查时间可能要到了。”何敏说。

“对啊，我差点儿忘了。”鲁克说着，便按下手机按键退出了“虫洞”应用程序。伦琴的实验室消失了，大家回到了候诊室。时间刚刚好，医生和宁宁妈妈刚好走过来。

医生说：“你好，宁宁。关于X射线检查，你有什么不懂和担心的吗？我可以为你解答。”

“没有，我一点儿也不担心。我知道X射线是怎么回事儿，我不怕。”宁宁看起来很镇定。

医生笑着说：“真是太好了，X射线可以帮助我们确定

你的骨折类型。”

“骨折？！”

“我们把骨头断裂称作骨折。你知道吗？我们的骨头是非常结实的……”

“那为什么我的骨头断了呢？”宁宁不解地问。

医生解释道：“当受到的外力足够大时，即使是非常结实的骨头也会断裂的。最糟糕的骨折类型是开放性骨折，在这种情况下，骨头会完全断开，甚至戳穿皮肤。”

“呃……”蒋方吓得龇牙咧嘴。

医生说：“不过很幸运，你的情况应该不是开放性骨折，我怀疑可能是青枝骨折，也就是说，虽然‘折’但没有‘断’，这种情况通常不需要手术治疗，只要用石膏等进行固定治疗就会痊愈。”

“我知道了。青枝，就像树上软软的嫩枝，很容易弯折，但不容易折断。”

医生说：“说的对。宁宁，你的骨头还在生长发育，一般来说，青少年的骨骼会比成年人的更加柔韧。不过，为了确定你的骨折类型，咱们现在还是要到放射科做一个 X 射线检查。”

鲁克说：“宁宁待会儿见，一会儿回来告诉我们检查结果。”小伙伴们和宁宁道别后，离开了医院。

何敏说：“终于可以离开医院啦。每次闻到医院里的味道，我总会想起小时候奶奶生病那会儿的事情，仿佛真的回到了那个时候。”

鲁克说：“这是因为你的感觉触发了记忆。要知道，嗅觉与记忆是紧密联系的。”

“什么意思？”蒋方问。

“听我说……”

制造感觉

小伙伴们在往鲁克家走的途中，看到街道拐角处梅奶奶家的房子，它的旁边种满了鲜花。

“太完美了！”鲁克说。

“什么？你喜欢梅奶奶家的鲜花吗？我还真不知道你有这个爱好……”蒋方说。

鲁克笑着说：“我是说用这些花来解释刚才我说的‘感觉’太完美了。快，你们俩闻一下这些花。”

蒋方和何敏弯下腰，深深地闻了一下。

鲁克在一旁说：“你们闻到的味道其实就是花朵散发出来的化学物质。这些物质通过你们的鼻孔来到一个更大的空腔——鼻腔。在鼻腔顶端内膜——嗅上皮中布满了可以探查不同化学物质的嗅觉感受器。它们与大脑相连，连接的区域恰好也是大脑处理记忆的区域。何敏，可能正是大脑的这个特点，你才会被医院里的气味勾起强烈的记忆。”

“噢，我明白了。”何敏说，“看，比特来了！”

小狗比特兴奋地跑到大家面前。

“到这儿来，小家伙。”鲁克说，“比特的嗅觉要比人类的灵敏多了，平常人能分辨出大约 1 万种不同的气味，而狗能分辨出的气味是我们的 200 倍！”

“哇，那么多呀！”蒋方惊叹道。

“更厉害的是嗅觉还能影响味觉。蒋方，你最近在吃东西的时候，有什么和往常不一样的感觉吗？”

“我发现最近无论吃什么……就算吃我最爱的香肠比萨……都没之前感觉那么香了。”

鲁克说：“很奇怪，是不是？不管你信不信，我们其实

都是用嗅觉和味觉一起来品尝食物的。你因为感冒引起了鼻塞，所以就感受不到食物的香味了。”

何敏疑惑地问：“品尝食物和味觉有关好理解，怎么会和嗅觉有关呢？”

“是的，也许是因为嗅觉比味觉更加灵敏的缘故吧。”鲁克说。

鲁克掏出手机，“我最近正在努力开发‘虫洞’应用程序的放大功能，这样它就能成为一个便携显微镜了。”

鲁克伸出舌头，然后打开“虫洞”应用程序，把镜头对准舌尖拍摄。手机屏幕上顿时出现了粉色的黏糊糊的东西。

“这是什么呀？”何敏问。

“则四额嗯涩嗯（这是我的舌头）。”鲁克说。

“你说什么？”蒋方问。

鲁克把舌头缩回嘴里，说：“我刚才说这是我的舌头，我要让你们看看舌头上的那些突起。”

鲁克又用手机镜头对准自己的舌头。当相机对好焦后，许多粉红色的小突起清晰地出现在了屏幕上。

“我看到啦！”何敏兴奋地喊道。

鲁克说：“它们是舌乳头，我们平时都叫它们味蕾。不

同的味蕾能尝到不同的味道。有些捕捉甜味，有些捕捉酸味，有些捕捉咸味，有些捕捉苦味，有些味蕾还能够捕捉像肉那样的鲜味。我们的味蕾只能分辨这5种味道，其他味道其实都来自嗅觉。嗅觉和味觉合作，才能让我们品尝出各种各样的味道。”

“所以说……因为我的鼻子被塞住了，没办法闻到食物的味道，因此觉得好吃的也没有往常那么好吃喽。”蒋方说。

“谁知道我们还要用鼻子尝味道啊？人体真的很神奇。”何敏说。

“我再跟你们说个更神奇的事儿吧——我们的眼睛看到的东西实际上是倒影。”鲁克说。

“什么？”何敏和蒋方异口同声地问道。

“来，你们看。”鲁克说着，又在他的手机屏幕上按了一下，把手机镜头举到眼睛前方。手机在空中投射出鲁克眼球的三维影像。

“好酷哇……”何敏说。

“真神奇！”蒋方说。

“假设我们看到一朵鲜花，实际上看到的是这朵鲜花反射的光。光透过眼球中间的瞳孔和晶状体投射到眼睛后部。

你们看，晶状体的样子就像放大镜的镜片。”

“可图像是倒着的！”何敏指着眼睛后部映出的图像说。

鲁克说：“这里是视网膜，视网膜上有上亿个特殊的细胞，它们可以把分辨出的光线和颜色信息通过视神经传送给大脑，再由大脑把图像翻转过来。”

“接下来咱们再说说触觉吧。”鲁克俯身摘下一朵花，然后闭上眼睛，用手轻轻地抚摸花瓣，“我们的皮肤上布满了触觉感受器，它们把压迫、顺滑、粗糙等各种各样的触觉信息发送给大脑，让我们有了各种各样的感觉。”

“鲁克！你是不是在糟蹋我的花！”屋子里突然传来气恼的叫喊声。

“对不起，梅奶奶！”鲁克回答到，然后向大伙儿眨了下眼睛。

“梅奶奶是怎么知道我们在这儿的呀？”何敏问。

蒋方说：“可能是她听到咱们说话了，我想这应该是我们身体的最后一种感觉了吧。”

鲁克说：“说的对，但也不对。”说着，他从兜里掏出一根粉笔，在地面上画了起来。

“你画的是什么，是迷宫吗？”蒋方问。

“这是咱们耳朵的内部结构。物体振动会产生声波，通

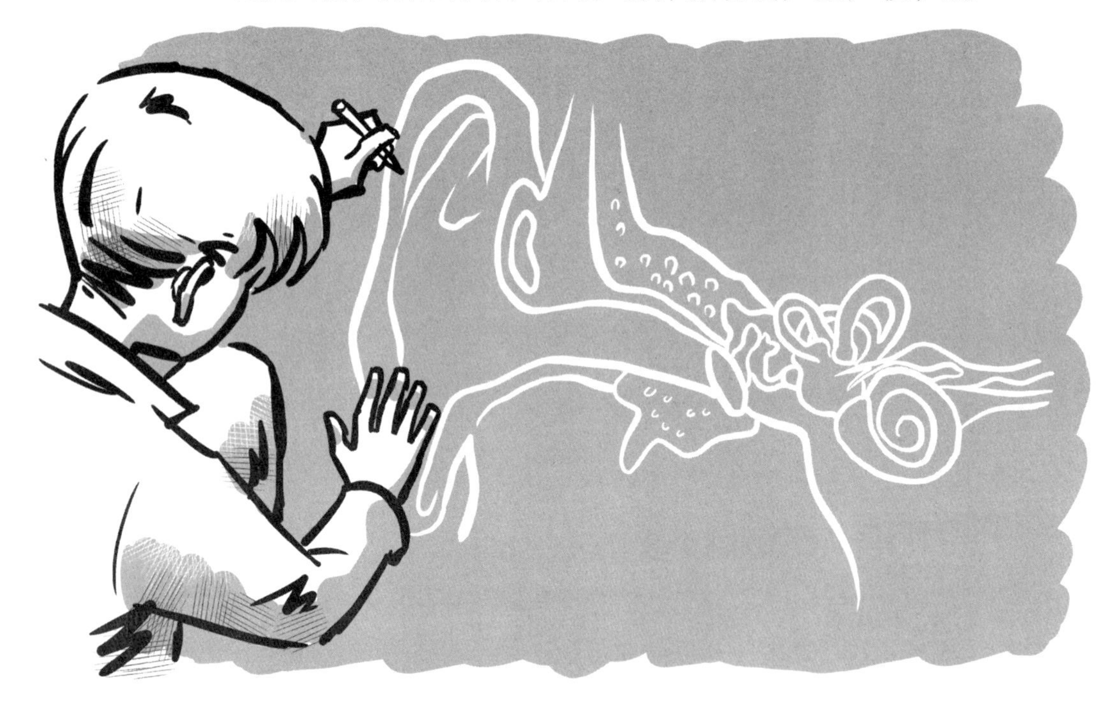

常情况下，声波会通过空气传入我们的耳朵，到达鼓膜这里。”鲁克指着刚刚画好的耳部结构说，“鼓膜连接着 3 块听小骨。当声波传来时，鼓膜会把振动传递给听小骨，再由听小骨继续传递到耳蜗。你们知道吗，听小骨可是我们全身上下最小的骨头。”

“耳蜗这个名字让人感觉应该是螺旋形状的，对不对？”何敏问。

“没错。耳蜗里充满了液体，耳蜗内大量微小的毛细胞能探测到耳蜗液细微的运动信息，然后转化成生物电信号，经过听神经传递给大脑，我们就听到声音了。”

“鲁克！你是不是又在我家路边上画画呢？”梅奶奶的声音又吓了大家一跳。

“别担心，梅奶奶，我这就擦掉。”说着，鲁克赶紧用脚蹭了蹭地上那个结构图，把画擦掉了。

“鲁克，我刚才说听觉是咱们讨论的最后一个感觉，你说‘说的对，但又不对’，这是什么意思呢？”蒋方问。

鲁克回答：“咱们的感觉肯定不只嗅觉、味觉、视觉、听觉、触觉这 5 种。比如我刚才俯身摘花，我都没用眼睛看，怎么知道胳膊要伸多远才能摘到花呢？那实际上就是我的‘第

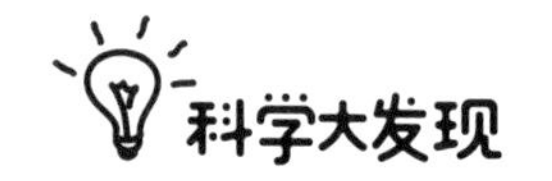

六感’在起作用。我们身体里有很多特别的感受器帮助我们了解自己胳膊的位置，这样才能让我们准确无误地完成动作。还有，宁宁会做那些体操动作，也有她身体当中那些感受器的功劳。其实，咱们到底有多少种感觉，就连科学家也没有达成共识呢。”

“阿……阿……阿……阿嚏！唉，我感冒了，比你们少一种感觉，什么也闻不到！”蒋方又开始打喷嚏了。

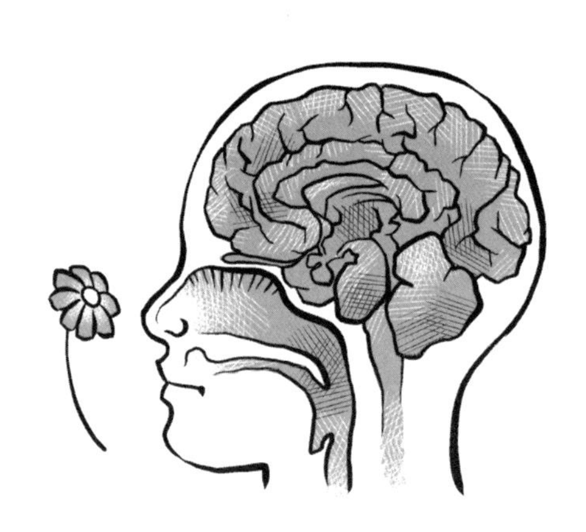

一 在血液里冲浪

“蒋方，你能在进屋之前把所有喷嚏都打完吗？”小伙伴们走到鲁克家地下室门口时，何敏用手捂着鼻子问。

“这个我可没法控制……我的身体好像坏了……”蒋方充满歉意地回答。

“坏了？它可没坏！你的身体正按照它的方式正常工作呢。”鲁克说。

“可是，我怎么觉得自己现在的状态并不像你说的那么‘正常’呢？”蒋方捏着鼻子，不让鼻涕流出来。

“我的意思是说，你现在身体的感觉或许并不好，但是你身体的免疫系统正在努力帮你摆脱病菌，比如打喷嚏什么的。”鲁克解释道。

“可我还是感到很难受啊……”蒋方沮丧地说。

伙伴们走下楼梯回到地下室。蒋方和何敏跌坐到旧沙发床中。

鲁克解释说：“一些有害微生物进入你的身体后，会进行大量复制，让你得病。这时我们身体中的免疫系统就会发

挥作用，对付这些有害微生物。比如，你不时地打喷嚏，就可以摆脱一些让你生病的病毒和细菌。”

“我记得，人如果突然被强光照射，也会打喷嚏呢。”何敏说。

“是的，不过这种情况目前似乎还没有人研究出究竟是为什么。”鲁克说。

“话说回来，免疫系统每时每刻都在保护着我们，我们往往完全注意不到。如果我们把身体想象成一座城堡，那么免疫系统就是城堡的防御系统，其手段和目的就是赶走来犯的敌人。”鲁克双手比画着说道，顺手从身旁标有“厨房旧物”的箱子里抄起一个锅盖和一把大木勺，煞有介事地拿着“盾牌”和“武器”一通挥舞，仿佛要击败进攻他的病菌，“举个例子，你鼻孔中的鼻毛就能够把

病菌困住。”

“哈哈，我爷爷的鼻毛又多又长，那我爷爷的鼻毛岂不就是超级防御系统啦！”蒋方一边说，一边咯咯地笑了起来。

鲁克也跟着哈哈大笑，然后说：“还有皮肤，它不仅能帮助我们的身体调节温度、感受外界刺激，更重要的是还能起到防御作用，为我们抵御外界侵害，就像中世纪城堡的城墙一样。”接着，鲁克用木勺狠狠地敲打锅盖盾牌。

“哈哈，你们可不能把我也挡在外面！”一个熟悉的声音从楼梯上面传下来。

“宁宁！”

宁宁从楼梯上走下来，她的手腕打上了硬硬的石膏，胳膊被悬带固定在身旁，“好消息是——我的手腕只是青枝骨折。坏消息是——我要绑6个星期的石膏！这期间不能运动，不能玩耍，什么都干不了。”

“对不起宁宁，都是我不好。”何敏心疼地说。

“这不是你的错呀，我自己应该小心点儿。”宁宁说。

听到宁宁回来了，比特也凑到她跟前蹭来蹭去，发出一声呜咽，好像在给宁宁道歉。

“好啦，比特，你也不是故意的呀。”宁宁轻轻地抚摸了比特几下。

“好啦好啦，别这么沮丧了！燥起来燥起来……”鲁克说。

“去哪儿？去哪儿？”宁宁跃跃欲试地问。

“我们刚才一直在讨论免疫系统。”鲁克一边回答，一边掏出手机，“相信我，这趟跨越之旅肯定比去游乐园玩还有意思。”

孩子们凑到一起。鲁克在手机屏幕上按下“虫洞”应用程序的拍摄按钮。

一道闪光！

时空转换——

闪光减弱后，大家顺着一条宽大的管子旋转着往下滑。流动的液体包围着他们，身边还漂浮着各种奇形怪状的东西。

“我们这是在哪儿？”宁宁大声问。

“为什么咱们在水里还能说话？”何敏觉得纳闷儿。

鲁克得意地说：“别忘了，‘虫洞’给我们营造的是虚拟世界。在现实情况中，这里应该是没有光、黑乎乎的。再说了，咱们也不在水里，而是在血管里，被血浆包围着。”

“血浆？”宁宁发出疑问。

“血浆是血液的重要组成部分，它的主要作用是把血细胞运送到我们身体的各个地方。血浆的主要成分是水，大约占了92%，因此它在流动的过程中既能给身体传递营养物质，同时还能带走细胞代谢产生的废物。”

“这些圆盘是什么？红红的，就像一个没有中心圆洞的甜甜圈。”何敏指着身边的一个碟状物问鲁克，那东西和她一样大。

鲁克解释：“那是红细胞，它可以为我们身体各个部位输送氧，氧可是我们身体所有细胞都需要的。喏，那个是白

细胞。”他指着一个圆圆的表面有突起的细胞说。

“白细胞看起来真像一个巨型雪球！”蒋方兴奋地说。

“白细胞会攻击进入人体的病菌，它们可是免疫系统中的战士。”鲁克一边说，一边爬到一个红细胞上面，然后挥舞着胳膊找平衡，“我们去‘冲浪’怎么样？”

“好啊！”宁宁喊着，她顾不得自己的伤势，赶紧爬到一个红细胞上。

小伙伴们在血管里盘旋打转，一同欣赏着这神奇的景象。

“咦，为什么比特的‘冲浪板’颜色那么深呀？”蒋方问。

大家这才注意到，比特脚下的那个红细胞的颜色比大家脚下的都深，都有点儿发紫了。

“当红细胞携带氧时，它的颜色才是鲜红的。比特脚下的红细胞应该已经把氧输送出去了。等回到肺部，它就会重新携带上氧，变得和我们脚下的红细胞一样鲜红。”鲁克说。

“咱们要漂到哪儿去？”何敏问。

“心脏会把血液泵到身体各个地方，我也说不清咱们会漂到哪里。不过，我知道当血液到达肺部时，红细胞会卸下携带的二氧化碳，携带上氧，然后它们会把氧运送到身体各处。”鲁克解释说。

大家正有说有笑地“冲浪”，忽然看到前面有一个形状怪异的细胞，与别的细胞不太一样。在它四周，几个白细胞正在对它围追堵截。

“那是什么？”何敏很好奇。

鲁克说：“那是病菌。你看，白细胞正在围攻它呢，看起来白细胞战斗得非常艰难。不过，一旦白细胞成功击败这个病菌，它们就会把这个能力共享给其他免疫细胞。以后身体如果再遇到这类病菌，免疫细胞就‘知道’如何对付它了。”

“免疫系统可真厉害！简直就是保护身体的小卫士！”蒋方说。

“不过也有例外，有的时候它也需要一点儿帮助。来！我们换个地方。”鲁克又拿出手机，按下了拍摄按钮。

一道闪光！

时空转换——

“咦，我的，冲浪板，哪儿去了？”宁宁问。

闪光过后，伙伴们站在一个墙面上镶着木板的房间里，一个小男孩和妈妈站在一位先生面前。这位先生身穿深色衣服，手里拿着一个类似针管的东西。

鲁克说：“这里是 1796 年的英格兰，这位是爱德华·詹

纳医生，他现在要在这孩子身上做一件非常大胆的事情。”

大家看到詹纳医生用一个锋利的金属工具划破了男孩的手臂。

“他在干什么？”何敏为小男孩感到担心。

“詹纳医生要把一种名叫天花的病毒注入那个男孩的血液里。要知道，天花病毒可是一种能要人命的病毒，非常可怕。整个 18 世纪，欧洲有上亿人死于天花呢！”

“快阻止他！”何敏喊道。

詹纳医生抬起头，对何敏说：“我很了解你的担心，不

过别害怕。这孩子会好起来的，我之前给他接种过了。”

“您之前干什么了？”蒋方问。

詹纳医生接着说：“接种。是这样，我发现牛奶女工从来不会得天花。但是她们会患上一种类似的疾病，叫作牛痘。这是奶牛传染给她们的。于是，我在得牛痘的人身上沾了一点儿牛痘浆液，涂在这个孩子的手臂上，结果这孩子长出了牛痘。”

“那得了牛痘会怎样呢？”宁宁问。

“患上牛痘并不可怕，病人会发烧，但很容易康复。让人高兴的是，只要得过牛痘，以后就不会得天花了。”

鲁克提醒大家：“还记得刚才白细胞抗击病菌的场面吗？它们战斗得很费劲儿。如果它们‘知道’如何打败病菌或病毒，身体就对这种病菌或者病毒免疫了。牛痘和天花十分相似，所以一旦让身体‘知道’怎么对付牛痘，身体也就对天花免疫了。”

“所以，您想办法让这个男孩得上牛痘，就是为了让他对天花免疫？”何敏问。

“是呀。现在，我要验证我的理论是否正确，所以我在给他注射天花病毒。他应该不会生病的。”

“太神奇了！”宁宁说。

“确实是太神奇了，以至于人们都不敢相信。詹纳医生只能通过反复的实验来证明他的伟大发现。他还在自己儿子身上进行过实验呢。经过种种努力，最终，这种用来对付天花的办法终于被人们接受了。”

“詹纳医生真了不起呀！”何敏说。

鲁克说：“詹纳医生凭借一己之力防止了天花蔓延，还发明了接种疫苗法，通过给人注射某种微生物，让人体对某种病毒或病菌产生免疫。何敏，你还记得咱们从小到大打过多少针疫苗吗？”

“多到完全记不清楚。”何敏搓着胳膊，仿佛感觉到了针刺。

鲁克说：“咱们因为接种了疫苗，能够对抗很多很多种病毒和病菌，所以才不会经常生病的。”

“咱们离开这里吧，我还想踏着细胞‘冲浪’呢。”宁宁说。

鲁克笑起来：“好呀，好呀！咱们这就回去！”

一 绝妙的大脑

鲁克打开“虫洞”应用程序，调整了几下设置后，迅速按下确定键。小伙伴们眼前的场景伴随着一道闪光回到了一条血管里。

“咱们现在要去心脏吗？”何敏问。

“不，我刚才在设置参数时跳过了心脏的部分。我们应该去脑那里看看。”鲁克说。

“血液会流进脑吗？”蒋方问。

“当然！和身体其他部分相比，人脑需要更多的血液。”

“为什么人脑需要那么多血液呢？”何敏觉得不解。

“我们的脑就像一台微小的超级计算机，每天忙个不停，所以会消耗大量氧和营养物质才能产生出维持活动所需的能量。”

“你的脑也是这样吗，蒋方？”宁宁拍着蒋方的肩膀咯咯地笑着说。

蒋方气恼地白了她一眼。

鲁克说：“咱们快到了。脑应该就在这些血管的外面。”

“等一下！这是怎么回事儿？”何敏叫道，她发现血管

内膜的物质排列变得越来越紧密。就在刚才，一些大分子物质、细胞等还能轻松穿过血管壁，可是现在，只有很小的分子才能过去。

鲁克说："我们到血脑屏障了！这里是脑的安全防火墙，它只允许水、氧和其他一些必要的物质穿过，这样就能屏蔽掉病菌和其他有害物质进入脑。"

"真酷！不过这样的话，咱们也过不去啦！"蒋方说。

"或许这里不是观察人脑的最好位置……"鲁克想了想，然后又按了几下手机。大家来到了一间空荡荡的房间。房子中间，一个巨大的虚拟脑影像在他们头顶上投射出来。

"真是见所未见，原来我们的脑看起来黏黏糊糊的！"宁宁说。

"长得真像花椰菜。"何敏说。

“听好……如果你家晚饭里有长成这样的花椰菜，我永远不会去你家吃晚饭。”蒋方说。

鲁克说：“哈哈！别说，还真挺像花椰菜的。人的脑约有 1000 亿个神经元，每天消耗的能量大概占到人体消耗总能量的五分之一呢。它应该是我们身体里最神奇的部分了。”

“那么多啊！不过它的体积并没多大呀。”蒋方说。

“也许只有你会根据体积的大小来判断脑的聪明程度吧。”宁宁说。

蒋方对着宁宁做了个鬼脸，然后说：“我的意思是，人脑只有几千克重，怎么会消耗掉那么多的能量呢？”

鲁克解释说：“在我们不经意间，它真的做了很多很多的工作。脑要给肌肉发出信号，维持我们的身体活动与平衡，要存储记忆，要控制思维、语言、感觉……”

“好啦，好啦，我们知道啦！”宁宁说。

“简单说吧，脑就是让你成为你！”鲁克继续滔滔不绝，“每当我想到身体里有脑这样一个神奇的东西，就感到不可思议。”

宁宁绕着上方的大脑影像看了一圈，突然停了下来：“等等，我们不是只有一个脑吗？为什么从这个影像上看大脑像是由两块粘在一起的呢？”

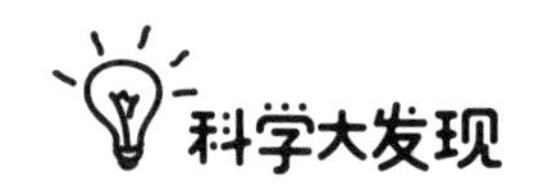

“说的对，我们每个人只有一个脑，它由左、右两个脑半球组成，它们分别承担着各自的职责。奇妙的是，一侧脑半球实际上控制的是对侧身体的一些特定功能。”

“我没听明白，你是说我的右半边身体受我的左脑控制？”宁宁问。

“没错。而且，两个脑半球好像分别承担着一些重要的功能，比如和语言、逻辑、数学等有关的任务区主要由左脑负责，而富有创造性、综合性的任务主要由右脑来负责。虽然如此，大脑在完成各项任务的时候，几乎都会调动两个脑半球的不同区域。”

“鲁克，我猜你的左脑更发达……你太能说了。”蒋方偷笑着说。

“如果你走近一些仔细看，就会发现人的脑并不仅仅只有两半。”鲁克指着大脑上的不同区域说。

“的确是。人脑可以分为大脑、小脑、脑干和间脑几个部分，其中我们常说的大脑是神经系统最高级的部位，同时也是人脑的重要组成部分。脑干上面承接大脑，下面连着脊髓。间脑就是两个脑半球之间的部分，剩下的就是小脑了。”

何敏问：“下面那一小块叫什么呢？”

鲁克说："那就是小脑，负责控制我们身体的平衡、姿势和协调能力。另外，小脑还可以控制我们身体做出像走路那样不需要思考就能做出来的动作。所以，对于某些动作，练习得越多，我们就越熟练、越顺手。"

"哈哈，这就是我侧手翻做得好的原因。"宁宁自豪地说。

"只要旁边没有狗……"蒋方开玩笑说。

鲁克说："虽然何敏现在还不会做侧手翻，但是只要她练习得足够多，肯定也能轻易地做出这个动作。"

鲁克站在人脑影像旁边，指着脑部投影中最小的那个部

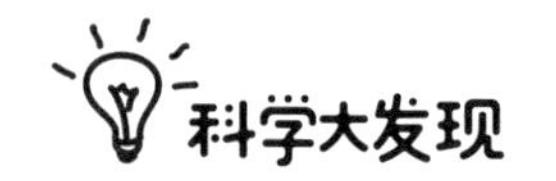

分说：“这个长长的细细的区域就是脑干。许多人认为自然而然的动作、反应什么的，其实都是由脑干控制的，比如心跳、呼吸、消化。假如脑的这个区域不发出信号，那这个人肯定完了。”

“原来我们的脑这么重要啊！或许我应该戴个头盔，把脑保护起来。”蒋方边说，边用双手在头上比画着一个大大的头盔。

鲁克说：“嗯，其实我们都有一个保护脑免受撞击伤害的头盔，那就是颅骨。另外，人的脑是漂浮在脑脊液里的，这样也能起到一定的缓冲作用。当然了，有时候我们确实需要戴上头盔，比如骑自行车、打棒球的时候。”

“说不定下次我做侧手翻的时候，也得戴个头盔。”何敏开玩笑说。

“咱们一直在思考关于思考的问题，一直在动脑子，还真是耗费能量，我都饿了……”蒋方抱怨着，他的肚子很配合地咕咕叫了几声，似乎在表示同意。

“是呀，我也好饿。咱们吃点儿东西吧。”鲁克说着，关掉了虚拟大脑影像，伙伴们又回到了鲁克家的地下室。

“有什么想吃的吗？”

“什么都行，只要不吃花椰菜……”蒋方吐了吐舌头。

一 顺流而下

小伙伴们一起吃了三明治。肚子饱了，他们又活跃起来。鲁克勤快地从大家手中接过餐盘，转身放进了洗碗机：“我往洗碗机里放盘子的效率最高啦。”他自豪地说。

“效率？鲁克，你知道吗？虽然你有的时候很酷，可有些时候真像个书呆子。”蒋方说。

鲁克不服气地说：“书呆子也可以很酷啊！看来，享用美味的三明治也没能让你开心呢。”

“我觉得他没不高兴，他就这样，爱说不好听的话。”宁宁叹了口气，然后顽皮地戳了下蒋方的胳膊。

何敏转移了话题，“刚才吃三明治的时候我就在想，我们的身体是如何把这些食物转化成营养物质的呢？”

“要不要再走一趟？”鲁克拿起手机在手中颠了几下。

“还去‘冲浪’吗？”宁宁问。

“哈哈，比那个还好玩儿！自拍时间到啦！”

一道闪光！

时空转换——

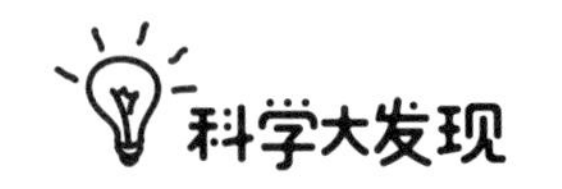

闪光过后，几个小伙伴现身在一个空旷的地方。这里看起来很像洞穴，不过脚下的地面一会儿陷下去，一会儿鼓起来，双脚就像踩在充气城堡上一样。

“鲁克，你怎么总带我们到黏黏糊糊的地方？”宁宁问。

“等一下，我好像认识这些突起，似乎是味蕾。”何敏看着地板，一只脚又踩了踩。

鲁克说：“说的对！咱们现在正站在舌头上。那团厚厚的东西是食物团，有了唾液的浸湿、牙齿的咀嚼和舌头的搅拌，我们可以更容易地将食物吞咽下去。”

“鲁克，你终于带我们到了一个美好的地方。”蒋方说。

忽然，大家脚下的舌头晃动起来。

鲁克招呼大家：“准备好，咱们要下去喽！”

随着一阵紧缩，食物团和几个小伙伴随着舌头的卷曲来到了嘴巴后部。紧接着，他们和食物一起钻进了一个大管子里。

“这里是食管……咱们顺着脖子一直下去……一会儿就到啦……”鲁克大声喊着，双手还在头顶尽力挥舞。

何敏说：“食管壁好像在不停地收缩和放松呢……”

鲁克继续喊道：“是呀……食管壁中的肌肉在帮助食物往下移动……咱们快要到出口啦……准备俯冲……四……

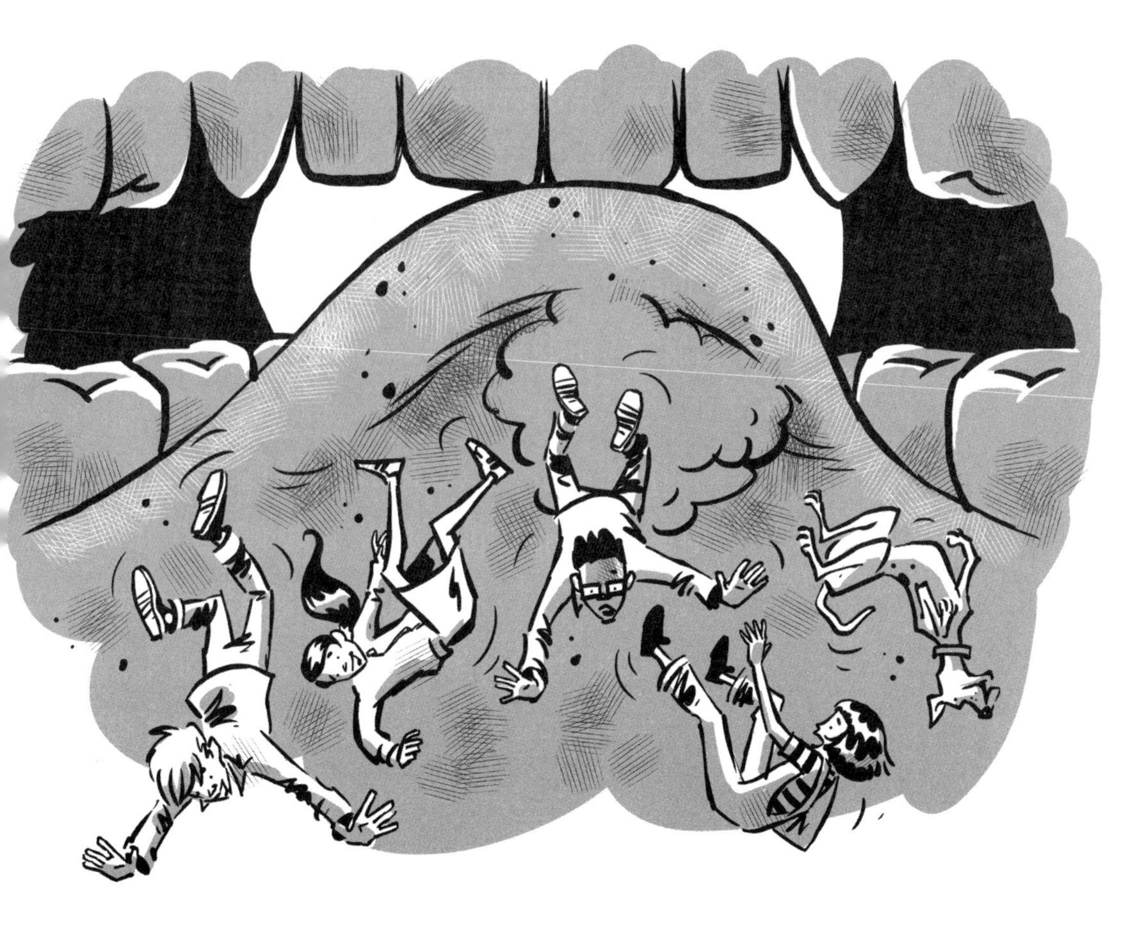

三……二……”

“俯冲下去……啥……”蒋方说。

蒋方的话还没讲完，小伙伴们跟食物团就被挤出了食道，落到了一摊黏糊糊的液体里。

鲁克继续大叫：“一！欢迎来到胃里！”

何敏说：“我全身上下都是黏液！好恶心啊！”

鲁克看到朋友们满身滑滑黏黏的东西，忍不住哈哈大笑起来，“噢，其实比黏液更糟糕的是你们身上那些嚼碎的食物和胃液。”

“真是太恶心了！”蒋方不停地抱怨。

“胃液中有一种酸，可以帮助我们分解食物。”鲁克解释说。

“别说了，我们快点儿离开这儿吧！”宁宁说。

“是个好主意。不过食物一般要在胃里待上几小时，等食物被胃液分解得足够细小后，就要进入下一个阶段。”鲁克不紧不慢地说，“不过，在胃里待着确实也没什么意思，咱们还是快去胃的出口吧。”

“快点儿出去吧……我可不想被分解掉。”蒋方说。

“当食物到达这里时，已经变成黏稠的食糜了。准备好，前面空间可要变小啦。”

大家在胃的蠕动挤压下，又来到一条窄窄的管子。

鲁克解释：“这里是又窄又长的小肠，它在腹腔里卷来卷去好几回，有6米多长呢。”

“这些是什么？”蒋方一边问，一边拨弄着小肠壁上那些手指形状的东西。

鲁克告诉他：“那是小肠绒毛，它们的工作就是从食糜中吸收对身体有用的营养物质。通过数不清的小肠绒毛的共同努力，这些营养物质被血液运送到肝脏，一部分由肝脏储存起来，另一部分被转化后又进入到血液当中，被运送到身体各个部分，满足身体的需要。这回咱们先不去肝脏，跟着剩下的食糜一起去大肠吧。”

“我猜大肠肯定比小肠要大。”蒋方说。

鲁克微笑着说：“大肠更粗一些，不过比小肠要短很多。

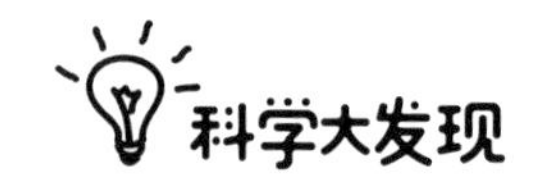

在此前消化过程中余下的东西都来到了这里，这些剩余物很难被身体分解掉。”

何敏说：“这里的肠壁好像也在收缩。大肠也要把东西往下推挤吗？”

“是呀。大肠还要挤压这些剩余物，尽可能吸收里面的水分。”

“我有一种不太美好的感觉……听起来好像是……”蒋方说。

鲁克打断了他的话，试图找一个更明确的词：“就是……大便，它们的下一站是卫生间……”

“我觉得咱们的话题还是到此为止吧。”何敏打断了鲁克的话。

鲁克笑起来，“同意。”然后他按下手机按键，伙伴们一起离开了大肠。

收缩肌肉

回到地下室后，宁宁感到意犹未尽，她说："鲁克！这趟旅行真是太奇妙了！"

"是呀，'虫洞'应用程序的功能太强大了！它是如何实现这些功能的？"何敏问。

"这可是我的作品，自然不会差！"鲁克自豪地说，"不过说真的，起初在设计这个应用程序的时候我都没想到它能有这么广泛的用途。其实，'虫洞'的常规功能就是带着咱们进入一些历史事件。不过，前几天我改进了一些功能设置，在其中添加了网络上关于身体的图像资料，这样我们就可以让'虫洞'带我们'进入'人体啦。当然，图像的质量越好，'虫洞'给我们营造的虚拟世界看起来就越真实。现在，咱们很容易看到身体的运转情况，比如可以通过 X 射线扫描……"

"我可是既亲身体验又学习了解过 X 射线的'专家'哦。"宁宁说着，轻轻扶了一下受伤的手腕。

鲁克接着说："是啊，现在的医学技术能让我们更加细致和全面地了解身体。除了 X 射线扫描外，我们还可以用很

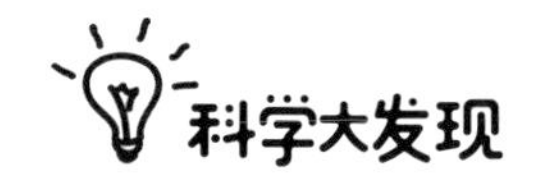

多方法来观察身体内部，比如探针什么的。”

蒋方若有所思地说：“这要是在几百年前，情况可就大不一样了，那时的医生可没办法直观地了解身体各个部分的运转与合作，所以在给人看病时主要依靠经验和推测。”

“不过也有例外，总有一些人的认识是超前于自己时代的。”鲁克露出了睿智的目光，“我带你们去见个人。各位快过来，别让我提醒你们了，你们知道该怎么做。”

伙伴们凑到了一起。

“准备好去16世纪喽！”鲁克说。

“一起去吗，比特？”宁宁说。

小狗比特回头看着宁宁，好像很疑惑。

“来吧，小家伙。”

比特跑了过来，和小伙伴们一起自拍。

一道闪光！

时空转换——

闪光过后，大家来到了一个昏暗的房间，屋子密不透风，让人感觉很不舒服。圆桌上，一支点燃的蜡烛照亮了竖在一旁的画架，有一位留着长胡子的长者正在认真审视画架上的画作。孩子们到达时，两个人正抬着一副蒙着布帘子的担架

往外走。

“这是什么味儿？”宁宁小声说。

画架边的那位老先生抬头看见大家，热情地招呼他们：“啊，朋友们，欢迎，欢迎。你们要是早来一会儿，刚才就能和我一起工作了。快来看看我刚刚画好的画。”

小伙伴们走到画架跟前，原来这是一幅人的大腿肌肉的速写。

“哇，画得太精细了！”何敏说。

鲁克小声对伙伴们说：“这是达·芬奇。他画得不仅精细，还十分准确。在16世纪时，还没有别人会这样画画。现在，很多人都称赞达·芬奇超越了他的时代好几百年呢。”

达·芬奇鼓励大家仔细观看，“你们看，从这幅图中能够了解肌肉是如何通过收缩来运动和工作的。”他指着画面继续说，“肌肉的两端附着在骨头上，当肌肉收缩，它们就会带动骨头运动。比如当大腿前侧肌肉收缩，就会拉动大腿骨的前面，膝盖就会伸直；当大腿后侧肌肉收缩，就会带动大腿骨后面，膝盖就会弯曲。需要注意的是，肌肉永远是拉动骨头，而不是推动。”

宁宁指着那幅速写说：“假如做侧手翻动作，当我要把腿伸直的时候，实际上就是大腿前侧肌肉收缩来发挥作用吧？”

何敏一副恍然大悟的样子，“做侧手翻的时候还要伸直腿吗？我终于知道我的动作错在哪里了……”

“哈哈，原来你们既是科学家又是运动员啊。好吧，来看看这个……”达·芬奇转身到一旁翻弄起来。

大家在等待的时候，鲁克说：“我们的肌肉其实分为很多种类型。达·芬奇刚才画的是附着在骨头上的骨骼肌，它们会帮助身体运动；我们在消化系统里看到的是平滑肌，它们可以沿着消化系统推挤食物；还有一种肌肉叫心肌，是组成心脏的肌肉，可以帮我们把血泵到身体各处。”

达·芬奇拿着一幅画过来了。

“当我在构思画作时，不仅要站在艺术家的视角去判断，还要用工程师的眼光来思考。人体实在是太神奇了，这与大自然的鬼斧神工如出一辙。这里，嘴和鼻子通过管子连接到肺，就好像小河流入大湖；还有这里，心脏通过血管连接到肺部，就好像众多的水道把威尼斯不同的地区有机地连接在了一起。让人感到既复杂又美丽。”

“您是如何把画绘制得如此接近实物的呢？”何敏问。

达·芬奇有些答非所问：“嗯，要是你们来得早一点儿，也许就可以看到刚才的那具尸体了。”

“尸体？”宁宁很是诧异。

“是啊，不过别担心，在我开始工作之前，那个人已经

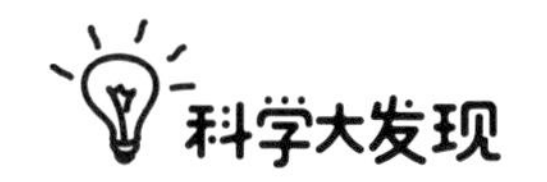

去世了……”

“是我们刚刚进来时……抬出去的‘那个’吗？”蒋方问。

“是的，就是那具尸体。现在天气太热，即使把窗户关严，隔绝外面的热气，尸体还是腐败了，散发出了气味。不过，能弄到这些尸体已经很不错了，这总比用动物尸体强。”达·芬奇耸耸肩说。

达·芬奇的一席话，让小狗比特也感到不太自在。

“其实，人和动物的内部构造是很相似的。如果找不到人的身体做模特来画画，我就只能通过认识和理解动物的身体，来猜测人的身体是什么样的。”

“我感觉不太舒服。”宁宁说，她的脸色看起来有点儿发白。

鲁克赶紧说：“谢谢您，不过我们得走了，再见。”

“太可惜了，我还打算给你们展示一下我的其他作品呢。”达·芬奇胳膊一挥，指了指桌子上的那堆纸。

“要不……下次吧……”鲁克说着，赶紧关掉了“虫洞应用程序，眼前的场景回到了地下室。

“解剖人和动物的尸体，太可怕了！”宁宁说。

“在达·芬奇生活的年代可没有 X 射线等可以看到身体

内部结构的仪器。要想了解身体是如何工作的，只有解剖尸体这一条路可走。”鲁克走到宁宁旁边安慰道，“事实上，他们的这些画有力地推动了医学的进步，从而挽救了成百上千万人的生命。”

宁宁点点头，“我想，你是对的。不过无论如何，我还是希望通过X射线来学习人体知识。”

微小的猛兽

小狗比特轻轻地走回自己的窝里躺了下来，惬意地用后腿挠痒痒。

“鲁克，你的狗身上没有跳蚤吧？”蒋方说。

鲁克瞟了蒋方一眼，“我很注意它的卫生。不过说句公道话，在这间屋子里，并不是只有它的身上住着小动物。”

“不可能！我身上可没跳蚤！”蒋方激动地说。

鲁克解释：“不一定是跳蚤，而是一些你看不到的小生物，咱们所有人身上都有。而且有一些小生物还是帮助和维持我们身体健康运转的好朋友呢。来，我现在就打开显微镜给你们看……要不，咱们去 17 世纪走上一遭，我带你们认识一个人。”

宁宁一听又要去那个时期，赶紧捂着嘴说：“他不会也要解剖尸体吧？我刚感觉好一点儿。”

“我保证没有尸体。好啦好啦，赶快凑在一起，一定要确保自己在镜头里哦……比特，来吗？”

比特的眉毛耸了耸，好像有些害怕。

“它应该不想和咱们一起去吧。走喽……”

一道闪光！

时空转换——

闪光过后，刚刚比特躺着的地方坐着一位先生，他头戴副又长又鬈的假发，身穿一身长袍，坐在一张很大的桌子旁边。

“早上好，欢迎来到美丽的代尔夫特！”那位先生说，“朋友们，我能为你们做些什么？”

鲁克走上前，“您好，列文虎克先生，请问您能给我们展示一些您的研究成果吗？”

这位先生友善地邀请小伙伴们来到桌旁，“当然可以啦！你们看，这些是我刚刚发表的论文……这是示意图……”他一边介绍，一边把那些画着各种图案的图纸摊开在桌子上。这些图案的样子看起来像极了虫子和豆荚。

“这绝对是一个爆炸性的发现，我称它们为微生物。这些生物的个头儿实在是太小了，以至于我们用肉眼完全看不到它们。”

“您的画真是太细致了，每一个细节都画得清清楚楚，就好像我真的看到了这些微生物一样。”鲁克赞叹道，然后转过身对伙伴们说，“微生物就是列文虎克先生对他发现的

这些微小生物的统称。到了现代，科学家把微生物划分为细菌、病毒、真菌、放线菌、立克次氏体、支原体、衣原体、螺旋体八大类。”

“那什么是细菌呢？”宁宁问。

鲁克说：“细菌通常只有一个微小的细胞，结构非常简单，没有细胞核、细胞骨架以及膜状胞器，比如线粒体和叶绿体。目前已知最小的细菌只有0.2微米长。”

蒋方说：“原来细菌这么小啊，我妈妈总说细菌很危险，

会让我得病。”

鲁克说：“其实，并不是所有细菌都对身体有害，有些细菌对人体还是有益的呢。比如，在咱们消化道里的一些细菌就可以帮助我们分解食物。”

“列文虎克先生，既然微生物这么小，那您是如何看到它们的呢？”何敏突然想到一个问题。

“用这个呀。”列文虎克举起一个仪器，那是块中间镶着个小镜片的金属板，上面拧着一个螺丝，“这是我发明的显微镜，它比目前世界上最好的显微镜的放大能力还要高出5倍。”

鲁克说：“这可真是一个伟大的发明！谢谢您的介绍和讲解。我们现在要回去了，再见。”

列文虎克彬彬有礼地向他们挥手告别。随着鲁克按下手机按键，他们回到了现代。列文虎克刚才坐的位置，又变成了比特的窝。

蒋方说：“我觉得，如果比特戴上那种夸张的假发肯定特别好看……咱们要不把它的名字给改成列文虎克吧！”

何敏瞪了蒋方一眼，然后扭过头去问鲁克：“对了，刚刚你说微生物不是有很多种吗？除了细菌，还有什么呢？”

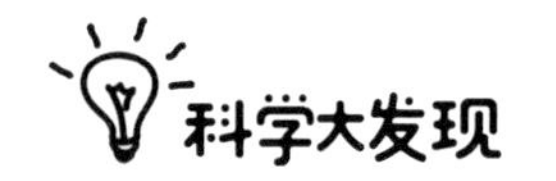

“还有很多种呢，就像列文虎克画的那样，微生物是各不相同的。接下来……嘿嘿……才是我真正要带你们去看的。”

鲁克举起胳膊准备自拍，顺手抱起小狗比特，“比特，我想你还是不想被落下吧？这次跟我们一起去吧。”

一道闪光！

时空转换——

闪光过后，在小伙伴们时空转换的周围呈现出一片不可思议的景象——脚下疙疙瘩瘩的，要不是因为四周长满了树，这地方简直像极了沙漠。

“咱们这是在哪儿呀？你们看，这些树的样子真奇怪……它们既没有树枝也没有树叶，而且越往上越细。”蒋方扶着一棵高耸入云的大树说。

“在显微镜下，我们的皮肤看起来就是这样的。”鲁克回答说。

“你不是在开玩笑吧！”何敏觉得难以置信。

宁宁来到蒋方旁边，说道：“这棵树真粗！蒋方，来，看看咱们俩能不能抱得住它。”

鲁克笑着说：“这是眼睫毛，地上那些疙疙瘩瘩的小块是皮屑。”

没等鲁克说完，比特突然狂吠起来，焦急地绕着大家转圈，眼睛一直盯着面前的一根眼睫毛。

“怎么了，比特？”宁宁问。

顺着比特的视线望去，伙伴们猛然发现在眼睫毛后面爬出一只怪兽。这只怪兽脑袋两侧伸出很多只眼睛，身上有8条腿，身后长着一根又长又粗的大尾巴。

“啊！”宁宁、何敏和蒋方吓得惊叫起来。

“快跑啊！鲁克……”何敏大声喊道。

只见鲁克镇定地走向怪兽，然后笑着和大家说：“大家

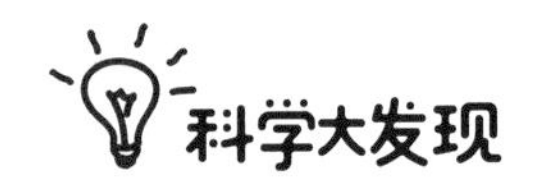

别害怕，这些都是虚拟的，我早就说过了呀。”说着他纵身一跃，爬到了那只怪兽的后背上。

“鲁克！别……”何敏还是不由自主地叫起来。

鲁克安慰伙伴们：“别担心！这是一只毛囊蠕形螨，就是咱们常说的螨虫，通常寄生在哺乳动物的毛囊里，以皮脂为食。这家伙虽然样子吓人，其实只要螨虫数量不多，对我们并没太大的害处。”

比特小心地嗅了嗅那只螨虫。

“我的眼睫毛上可没这东西！”何敏厌恶地说。

鲁克说：“我们刚出生的时候，一般都不会有螨虫。但随着年龄的增长，感染螨虫的概率就会增高。这和个人卫生习惯、生活环境等都有关系。”

“我还想和奶奶拥抱呢……这怎么办呀……”说这话的时候，蒋方有些犹豫，因为螨虫而不愿意和奶奶拥抱，让她感到一丝愧疚。

鲁克说：“你大可不必担心，蒋方。只要注意卫生，螨虫是不会在我们身上泛滥的。就算感染了螨虫，情况严重了，医生也有办法对付它们。”

“如果这些螨虫是生活在我皮肤上唯一的生物的话，或

许我还能忍受。”何敏嘟囔着。

“不不不，我们的皮肤上还有好多好多种微生物呢，比如头虱、尘螨……”鲁克如数家珍地比画着。

“停！别说了。”蒋方立即制止了鲁克。

“哈哈哈……那好吧，既然这样，咱们还是赶紧回去吧。”

鲁克从那只螨虫的后背上滑下来，然后点了一下手机，那只可怕的怪兽连同周围的景象瞬间变回了鲁克家的地下室。

遗传密码

“提起虫子，”鲁克略加思索后继续说，“达·芬奇刚才说他有时会通过研究动物来猜测人体内部的一些结构。我在想，咱们身体的一些构造好像真的和其他动物的很像啊。我的意思是，到底是什么决定了我是我，而不是比特呢？你们想一想，小狗也有皮肤和心脏，也有五官和四肢……”

蒋方说：“嗯……比特比你更友好、更可爱、更有趣……”

“哈哈哈，这个笑话真‘搞笑’啊！”何敏打断了蒋方的话，她似乎对鲁克的话题更感兴趣，“鲁克，继续。”

“其实，达·芬奇通过观察动物来绘制人类身体构造时也出现了一些错误，”鲁克说，“也就是说，在某些方面，人类和其他动物相比，既有相似之处，也有不同之处。这恐怕与不同物种细胞内部的情况有关。这太复杂了，我想我也没办法解释清楚。”

“我就喜欢探讨复杂的问题，刚才我还担心这个问题太简单呢。”蒋方开玩笑地说。

“我知道谁可以帮助咱们了！”

一道闪光！

时空转换——

几个好朋友来到了一个实验室，这里的实验设备与学校科学实验室里的很像，只不过这里没有电脑。4 位研究者正围着一个五颜六色的塑料模型讨论着什么。

鲁克解释道：“欢迎来到 20 世纪 50 年代，他们是大名鼎鼎的富兰克林、威尔金斯、克里克和沃森，是他们的不懈研究，让我们知道 DNA 具有双螺旋结构。克里克和沃森还因此获得了诺贝尔生理学或医学奖呢！”

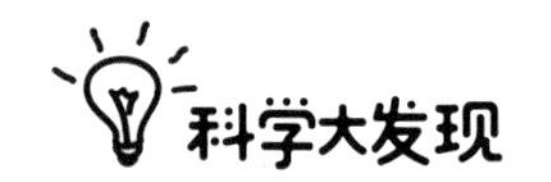

“DNA？什么是 DNA 双螺旋？”宁宁问。

蒋方兴奋地说：“这个我知道！DNA 就是在电影里那个能让恐龙复活的物质。它……似乎能告诉我们如何把一个东西造出来。”

威尔金斯转过身来，拍着蒋方的肩膀说：“小伙子，我非常赞赏你对科学的热情。我来帮你详细讲解一下。DNA 很像说明书，在我们身体里几万亿个细胞里都有这个说明书的复制本，这样细胞就知道怎样生长发育、怎样发挥功能了。不过，这个说明书是用一套密码来‘写就’的。”

“就像计算机代码那样？”何敏问。

“是的，有点儿像。”鲁克说。

威尔金斯接着说：“DNA 能够决定你身体如何生长发育——甚至是你长大以后的样子——我们 DNA 中的一部分来自母亲，另一部分来自父亲，是他们的 DNA 的组合，这也就是我们大家看起来都有和父母相似之处的原因。”

“我们可以看到 DNA 吗？”蒋方问。

“目前我们可能没法直接看到 DNA 的结构。”富兰克林说，“我看这位小朋友好像骨折了。你一定在医院做过 X 射线检查吧？”

宁宁看着富兰克林，点了点头。

富兰克林说：“这样我就好解释了。起初我用 X 射线来研究 DNA 的结构，但它实在太小了，我尝试许多次都没法看到它的结构。后来，我发现可以利用 X 射线的衍射原理去间接描绘出 DNA 的形状和结构，于是拍摄了 DNA 的 X 射线衍射照片，并对照片进行了长达一年的计算分析，终于取得了突破。”

克里克指着那个五颜六色的塑料模型接着说：“我们在研究中发现，DNA 的形状很像一副被扭曲的梯子，我们把这个结构称作双螺旋。要说这个‘梯子’中最神奇的地方，那非中间一级一级的‘梯子横杆’莫属了。”

“在双螺旋这个大梯子当中，每一级横杆都是由一对化学单位组成的，我们称之为碱基。”沃森拿起模型中的一根横杆说，“DNA 中有 4 种碱基。看，这一对是腺嘌呤和胸腺嘧啶，这一对是鸟嘌呤和胞嘧啶。它们在梯子上不同的排列组合构成了遗传密码。”

“所有生物的 DNA 都与这个模型的结构一样，由这 4 种碱基排列组合而成。”威尔金斯说。

鲁克补充道：“书中说，所有生物的 DNA 编码都有很大一部分是相同的。两种生物的关系越近，它们的 DNA 越相似，比如人类基因组与黑猩猩基因组只存在 4% 的差异。”

蒋方这时插话道：“宁宁喜欢跑来跑去，还喜欢玩飞盘，我觉得她的 DNA 应该跟黑猩猩的更相近。”

“如果不是手腕上裹着石膏，我现在一定……”宁宁对蒋方做了个恶狠狠的表情。

“我想咱们应该跟这几位伟大的科学家说再见啦。”鲁克说着便按下了手机按键，大家又回到了地下室。

一 科学怪人

回到地下室后，蒋方懒散地坐到沙发上，闷闷不乐的，“好伤心……”

“因为感冒吗？”鲁克问。

“不是，我感觉这几次探险之旅接收到的信息量太大，反倒更不知道要怎么做科学课作业了……”

“小伙子们，你们要是准备做作业的话，我们就出去练侧手翻喽。宁宁，我们走吧，这回我们不带比特出去了。”

两个女孩子出去了，鲁克、蒋方和小狗比特留在了地下室。

鲁克说：“我有个好主意。我们为什么不去合成一个‘人’呢？”

“啊？像科学怪人那样吗？”蒋方想了想，又开心地说道，“等等……如果咱们造出另一个‘我’到学校上课的话，那么真正的‘我’就可以舒舒服服地躺在床上睡大觉啦。鲁克，你也是这么想的吧？”

“哈哈，可真有你的。我的意思是，我们是不是可以把组成身体的化学物质集合起来呢？假如把我们的身体想象成一块蛋糕，那么蛋糕的原料是什么呢？”

蒋方托着下巴说：“我们身体是由化学物质组成的……”

“对啊，这个就是。”鲁克俯身捡起了一颗钉子，“铁是人体中的微量元素。有了铁的帮助，红细胞才能运输氧气。这绝对是合成人体的一种原料！”

“哈哈，我明白了！”蒋方说，“那咱们就把人体中含有的各种元素都给找出来吧……不过，话说回来……人的身体里有多少种元素呀？”

鲁克回答：“组成我们身体的元素有60多种呢。其中氧、碳、氢、氮、钙、磷、钾、硫、钠、氯、镁这11种属于人体必需的常量元素，其余像铁、铜、锌、钴、铬、锰、硒等在人体中的含量非常少，属于微量元素。这些元素咱们大多都能找到。”

“那还等什么？赶快动手吧！”蒋方已经跃跃欲试。

“好嘞！首先，人体中含量最多的元素是氧。”鲁克说。

“好的，我这就弄点氧气……等等！我们怎么收集氧气呢？可以装上一瓶空气吗？”蒋方说。

“空气是由很多物质混合在一起的，可不只有氧气。其实，空气里氮气含量比氧气的多，还有二氧化碳、氩气，还有……”鲁克解释说。

“好啦好啦……我明白我明白……不过我们现在要怎么办？”蒋方说。

“嗯，身体里的氧主要是以水的形式存在的，蒋方。水是由氢和氧构成的，所以水还是氢元素的来源。”

蒋方开玩笑说：“一石二鸟！很好，鲁克，你终于跟上我的节奏啦！”

“找到了氧，接下来就是碳了。”鲁克说。

“我记得铅笔芯的主要成分是石墨，而石墨就是碳构成的……对，咱们就用铅笔芯吧。”蒋方说。

鲁克点点头，接着说：“好！我们已经找到了氧、碳、氢，下一个是氮。等等，化肥里含有氮，记得我妈妈好像存了一罐子化肥在厨房的水盆下面，准备给家里植物施肥用的。”

“太棒啦，感谢阿姨，让我们这么容易地获得了氮。继续继续……”蒋方兴奋起来。

鲁克说：“还有钙和磷。化肥里面也有磷。”说着，他便赶紧跑到厨房弄了点儿化肥。

和预想的不同，鲁克回到地下室后，有些心事重重地说：“我刚才在想，咱们也许实现不了这个想法。”

“为什么呢？难道阿姨不愿意给你化肥？”蒋方问。

鲁克解释：“不是，我觉得我们可能没办法找全所有需要的元素，比如这个化肥，它里面不光有磷和氮，还有碳、氧、硫等元素。而且，接下来我们要找到的元素会更加困难，比如我们怎么找到钾呢？”

“这个简单！老师在健康课上不是讲了嘛，香蕉里是含有钾元素啊。”蒋方说。

“对是对，可香蕉里不仅仅有钾，而且咱们也不能说人是香蕉做的啊。”

“我想这只是个科学课作业，我们并不需要做出个真人呀。”蒋方感受到了鲁克的顾虑，鼓励他说，“咱们需要的是创意，只要我们通过完成这项作业让老师看到我们的努力，知道我们学到了一些知识就可以了。”

“好，不过咱们要是做，就要尽全力啊。我记得红薯里钾的含量要比香蕉的多，要不咱们用红薯吧。另外，还需要钠，这在食盐里就能找到。还有氯，游泳池的清洁剂里就有氯化物……”鲁克开始踱起步来，“钙可以从粉笔里取得。然后就是微量元素了，硫、镁、氟、锌、硅、铝、铜、碘……”

蒋方感叹道：“好多呀！让我想想……我家有锌片，前几天补屋顶时剩下的。装苏打水的易拉罐是用铝做的，对吧？”

“我家储物间里好像有根不用的铜管。”鲁克说。

蒋方说：“剩下那几种元素，我记得在科学课上用过，在我们的旧化学工具箱里还有一些没用完。还需要什么元素吗？”

“对了，还有砷。”

“砷？那不是毒药吗？”蒋方不太相信，大声问道。

“咱们身体里确实存在微量的砷。有些食物里也有，比如说一些蔬菜，它们会从土壤里吸收微量的砷。”

“哈哈，我终于有一个不吃蔬菜的借口了！”蒋方调皮地说。

“有一种元素，我们确实弄不到，铀。”鲁克说。

蒋方追问道：“铀？就是制造原子弹用到的元素？那玩意儿在商店里肯定买不到……要不，我画一个放射物的标识贴在瓶子上用来代表这种元素吧。这样的话，咱们就算把所有东西都集齐啦！”

鲁克和蒋方把找到的所有元素都拢到一起，小心翼翼地摆在桌子上。鲁克又从化学工具盒里取出需要的化学物质，分别装在了小玻璃瓶里。

“少拿一点儿啊，就剩这么点儿了。”鲁克叮嘱蒋方。

这时，有人敲了下地下室高处的窗户。宁宁从外面向两个小伙子比画着，示意鲁克打开窗户。

宁宁喊道：“何敏学会啦！她会做侧手翻啦！”

鲁克赞叹道：“厉害啊，何敏！”

蒋方也想把头探出窗外，想看看何敏的成果和晴朗的天空，“翻得好，何……何……”就在这时，他猛然想起何敏说过，

“突然被强光照射会打喷嚏”。

“阿……阿……阿……阿……阿嚏！”

一个大大的喷嚏过后，桌上摆放的很多东西四散飞离，玻璃器皿也倒了，桌子上还洒了一些液体和粉末。鲁克和蒋方面对一片狼藉的事故现场目瞪口呆。

“……好吧……看来我只能去做小苏打火山了……”蒋方双手摊开，郁闷至极。

伙伴们都哈哈大笑起来。

和科学家面对面

威廉姆·伦琴

威廉姆·伦琴（1845—1923），德国物理学家，因发现 X 射线而闻名于世。他拍摄出了世界上第一张 X 射线照片。

爱德华·詹纳

爱德华·詹纳（1749—1823），英国医学家、科学家，以研究及推广牛痘疫苗来预防天花而闻名，被称为“免疫学之父”。他发明的牛痘接种疫苗法让许多人躲过了天花病毒的威胁。

列奥纳多·达·芬奇

列奥纳多·达·芬奇（1452—1519），意大利艺术家、建筑家、发明家、科学家、地理学家、工程师。也许大家是因为那幅名为《蒙娜丽莎》的油画认识了他，但实际上，他的杰出成果遍布各个领域。

安东尼·列文虎克

安东尼·列文虎克（1632—1723），荷兰显微镜学家、微生物学的开拓者。他通过自制的显微镜观察细菌，并把这些微生物画下来。

罗莎琳德 · 富兰克林

罗莎琳德 · 富兰克林（1920—1958），英国物理化学家与晶体学家，她拍摄的 DNA 晶体 X 射线衍射照片 51 号，以及关于此物质的相关数据，是科学家发现 DNA 双螺旋结构的关键线索。

莫里斯 · 威尔金斯

莫里斯 · 威尔金斯（1916—2004），英国分子生物学家，他解开了 DNA 的组织构造，帮助克里克和沃森发现并搭建 DNA 双螺旋结构模型。

弗朗西斯 · 克里克

弗朗西斯 · 克里克（1916—2004），英国生物学家、物理学家。他最著名的研究成果是和詹姆斯 · 沃森共同发现了 DNA 双螺旋结构。

詹姆斯 · 沃森

詹姆斯 · 沃森（1928— ），美国分子生物科学家、遗传学家，因在 DNA 分子结构方面的研究而闻名。他和弗朗西斯 · 克里克共同发现了 DNA 双螺旋结构。

著作权合同登记　图字：01－2020－4641 号

图书在版编目（CIP）数据

复杂奇妙的人体 /（美）保罗•哈里森著 ；许若青译. -- 北京 ：中国少年儿童出版社，2022.1
（科学大发现）
ISBN 978-7-5148-7004-6

Ⅰ. ①复… Ⅱ. ①保… ②许… Ⅲ. ①人体－少儿读物 Ⅳ. ①R32-49

中国版本图书馆CIP数据核字(2021)第181430号

FUZA QIMIAO DE RENTI
（科学大发现）

出版发行：中国少年儿童新闻出版总社
中国少年兒童出版社
出 版 人：孙 柱
执行出版人：赵恒峰

策划编辑：李晓平　　责任编辑：曹 靓
著：[美]保罗·哈里森　　责任印务：刘 激
译：许若青　　责任校对：栾 銮
装帧设计：安 帅　于歆洋　张 鹏　　李 伟

社　址：北京市朝阳区建国门外大街丙 12 号　　邮政编码：100022
编 辑 部：010-57526329　　总 编 室：010-57526070
发 行 部：010-57526568　　官方网址：www.ccppg.cn

印刷：北京圣美印刷有限责任公司

开本：710mm×1000mm　1/16　　印张：5.25
版次：2022 年 1 月第 1 版　　印次：2022 年 1 月北京第 1 次印刷
字数：80 千字　　印数：1—6000 册

ISBN 978-7-5148-7004-6　　定价：29.80 元

图书出版质量投诉电话 010-57526069，电子邮箱：cbzlts@ccppg.com.cn